Márcio Araújo

FLORESTA dos MISTÉRIOS

Ilustrações
Cecília Murgel

carochinha

Copyright © 2019 Carochinha

Todos os direitos reservados. Nenhuma parte desta obra pode ser reproduzida, arquivada ou transmitida, de nenhuma forma ou por nenhum meio, sem a permissão expressa e por escrito da Carochinha.

Impresso no Brasil

EDITORES
Diego Rodrigues e Naiara Raggiotti

EQUIPE
ADMINISTRATIVO Amanda Gonçalves, Cristiane Tenca e Rose Maliani
ARTE Elaine Alves
COMERCIAL Elizabeth Fernandes e Márcia Louzada
EDITORIAL Karina Mota e Luiza Acosta
MARKETING E COMUNICAÇÃO Fernando Mello e Karina Mota
PEDAGÓGICO Cristiane Boneto, Cristiane Monteiro, Jessica Costa, Nara Raggiotti e Nilce Carbone
REVISÃO Carochinha

Dados Internacionais de Catalogação na Publicação (CIP) de acordo com ISBD

A663f   Araújo Márcio

Floresta dos Mistérios / Márcio Araújo; ilustrado por Cecília Murgel. - São Paulo : Carochinha, 2019.
32 p. : il. ; 20,5cm x 27,5cm.

ISBN: 978-85-9554-091-0

1. Literatura infantil. I. Murgel, Cecília. II. Título.

2019-1009
CDD 869.8992
CDU 821.134.3(81)

Elaborado por Odilio Hilario Moreira Junior - CRB-8/9949
Índice para catálogo sistemático:

1. Literatura brasileira   869.8992
2. Literatura brasileira   821.134.3(81)

rua mirassol 189 vila clementino
04044-010 são paulo sp
11 3476 6616 : 11 3476 6636
www.carochinhaeditora.com.br
sac@carochinhaeditora.com.br

Curta a Carochinha no Facebook...
 /carochinhaeditora

...e siga a Carochinha no Instagram!
 /carochinhaeditora

Que na diferença possamos aprender, ensinar e nos transformar...
Essa é a linguagem da Natureza. Essa é a linguagem do Amor.

Vou contar um segredo. Você não tem seus segredos? A floresta tem muitos mistérios para se desvendar. Mas é preciso coragem para descobrir cada um deles. Coragem para entrar na mata, olhar tudo o que mora aqui.

A Floresta dos Mistérios é a nossa casa. Aqui moram bichos do céu: arara, tiê-sangue, borboleta, tuiuiú, abelhas; bichos do mato: onça, tamanduá, lagarta e cobra; bichos das árvores: esquilo, bicho-preguiça, macaco e iguana; bichos de baixo da terra:

formiga, tatu, cupim e minhoca; e bichos das águas: boto, cascudo, peixe-boi e perereca. E tem os que não dá pra ver assim, a olho nu. Esses, tem muitos!

Todos irmãos! Tem perigo, um avisa o outro. Tem bica-d'água nova, alguém canta contando. Tem festa, ah, isso tem demais... Todo mundo participa.

Aqui a gente vive a lei da selva: amar!

— Bem-que-eu-vi homem chegando — avisou o Bem-Te-Vi.

Hora de se esconder!

É aquela menina de novo, a Guta. Ouvi dizer que tem síndrome de Down. Eu nem sei o que é isso. Só sei que é muito amorosa e todo mundo da mata gosta dela.

Ela trouxe um amigo que mexe as mãos para falar, sem sair som da sua boca. A Guta entende tudo. Eu nunca vi por aqui.

— Espírito da Floresta, apareça! Sou eu, sua amiga Guta! Ele vai aparecer, Rafa.

O Rafa mexeu as mãos e eu entendi que ele estava com medo.

— Não precisa ter medo. O Espírito da Floresta é estranho só à primeira vista.

O mato lá atrás mexeu e dele saiu o Duda, um menino que usava muletas e estava sempre por aqui. Um se assustou com o outro. Achei engraçado.

— Oi, quer brincar com a gente? Eu sou a Guta.

— Não quero. Tenho que me esconder.

— Bem-que-eu-vi muuuita gente! — a passarinhada avisou de novo.

O Rafa fez sinal mostrando um lugar bom, e os três se esconderam atrás da Grande Árvore. Os bichos também se enfiaram mais ainda no matagal.

— Aqui será o Futuro! — A prefeita Marta Lúcia apontava a floresta para um bando de seguidores. — Vamos cortar e limpar toda essa área para construir a melhor e mais gigantesca fábrica de celulares!

— Teremos novos empregos para os moradores de Micrópolis e muita tecnologia, não é, querida prefeita perfeita? — continuava o assistente Romildo, apaixonado por ela.

— Mas a floresta inteira vai ser destruída, prefeita? — perguntou um seguidor, confuso.

— A vida é feita de escolhas. Quem aqui não ama seu celular? Então. Teremos os mais modernos e incríveis! Não é maravilhoso? Aproveitem para postar, curtir, filmar, fotografar, fazer *selfies* e compartilhar! Talvez seja a última vez que veremos essa floresta — concluiu a prefeita, animada.

Outro levantou a mão.

— E a Grande Árvore, símbolo da nossa cidade? Ela tem mais de 200 anos!

— A Grande Árvore?... Já sei. A cortaremos em milhões de pedacinhos e daremos um para cada morador. Pronto! Não é uma ideia incrível? Mais tarde voltaremos com os tratores para começarmos a limpeza. Vamos, meus queridos seguidores!

Todos foram atrás dela, falando, fotografando e curtindo.

A floresta ficou num silêncio só.

As crianças saíram do esconderijo.

— Vão destruir a Floresta dos Mistérios e construir uma fábrica de celulares? — Guta estava confusa.

— Onde eu vou me esconder? Aqui é o único lugar onde os meninos da escola me deixam em paz! — Duda reclamava, triste.

Rafa mostrou o celular e fez sinal de que achava tudo muito legal. Ele gostava do celular, como a maioria das crianças.

— Eu também gosto, Rafa! Mas... e o meu amigo da floresta? Os bichos? As árvores? Flores? Plantas? Pássaros?... Onde vão morar?

Nem bem a Guta comentou e...

Frutas gostosas e coloridas comam à vontade, crianças queridas!

Era a música esquisita do ser feito de folhas e flores que dançava e ia deixando um caminho de frutas brilhantes pelo chão.

— Uau, que lindas!! Eu quero! — Guta foi atrás, pegando.

— Cuidado, menina! — Duda correu para avisar. — Pode ser uma armadilha... Ahhhhh!!!

Um buraco se abriu e Duda caiu.

— O que foi isso? Foi você, meu amigo...?

Guta foi puxada para dentro da mata.

Rafa começou a tremer de medo, mas também sumiu num arbusto!

O ser das folhas e flores riu baixinho:

— Agora... achem a saída!

Duda caiu num bambuzal com pouca luz. Não sabia onde estava. Percebeu olhos vermelhos que o miravam.

— Quem é você? — Pegou suas muletas e levantou rápido.

Do meio da escuridão surgiu um menino negro com uma perna só e uma carapuça vermelha.

— Saci Pererê! — riu bem alto, um riso estridente. — Agora pode correr!

Duda se preparou para fugir. Olhou a perna do Saci.

— Quer? — Ofereceu uma de suas muletas para o moleque travesso, que levou um susto. Ele parou. Pegou a muleta do Duda e... ZAZ!... Fez um giro bem louco!

Duda não deixou por menos. Deu um saltão impulsionado por sua muleta!

Daí foi a vez do Saci, que... IUPII!... Rodopiou! E o Duda quicou. Daí o Saci, depois o Duda. Uau! Parecia uma dança maluca de rua, na mata. O Saci até girou de cabeça pra baixo apoiado no cocuruto. Foi bem aí que a carapuça caiu. Ele correu para pegar, mas o Duda pegou primeiro. O Saci arregalou os olhos vermelhos enormes!

— Nãoooo! Quem pega a carapuça do Saci tem poder sobre ele. Vixe, agora o que você me pedir, eu terei que fazer.

— É?... Deita no chão — tentou Duda.

O Saci deitou.

— Pula — continuou o menino.

O Saci começou a pular sem parar.

— Para, Saci. Pode parar. Eu estou parecendo os meninos chatos da minha escola que me maltratam. Eu não quero poder, quero é ser seu amigo. Toma!

Duda devolveu a carapuça e o Saci soltou a sua risada estridente.

— Menino Duda, nunca ninguém fez isso. Coração bom! Te dou o poder do vento. Quando precisar, é só assoviar assim, FIIIII!, que eu ajudo você.

— É? Valeu!

E os dois voltaram a dançar juntos, pulando e rodopiando com as muletas.

Enquanto isso, Rafa rolava ladeira abaixo pelo mato, quase caindo dentro do riacho. Sentou, ainda meio tonto, quando viu uma sereia! Era a Iara. Ela cantava com aquela voz que encanta e um coro de peixes a acompanhava.

Só que a Iara também viu o Rafa e, como ela não gosta de seres humanos, resolveu usar o seu poder para jogar o menino no fundo do rio.

— Mais um homenzinho que vem aqui sujar minhas águas, caçar meus peixes, jogar lixo, sacolas plásticas, pneus, até sofá... Ai, como o ser humano é mal-educado. Detestável! Não percebe que precisa das águas para viver! — parou de cantar. — Ué, por que esse menino ainda não caiu no riacho?

Bem, a voz da Iara encanta qualquer um que a ouça...

14

— Ei, menino, venha cá! Eu desisto! Que poder é esse que você tem que não caiu na minha lábia, ou melhor, na minha cantoria?

Rafa fez um sinal de que não ouvia.

— Ah, agora eu entendi tudo!

Rafa fez outro sinal dizendo que a Iara era muito bonita.

— Obrigada! Todo mundo acha. Eu sou maravilhosa mesmo.

O menino, então, passou a mão nos cabelos azuis da Iara que se arrastavam sobre as pedras e, opa, ficou com um fio nas mãos.

— Não pode ser! Menino, quem pega um fio de cabelo da Iara tem poder sobre ela. Agora eu tenho que fazer tudo o que você mandar!

Rafa olhou, meio confuso, e devolveu o fio de cabelo na hora. Depois pôs a mão no coração dele e no coração da Iara.

— Ai, que lindo! Claro que quero ser sua amiga.

Ele fez sinais mostrando que queria ajudar a cuidar das águas e da floresta.

— Que fofo! Agora foi você que me encantou. Quando precisar do poder das águas, é só bater palmas que eu estarei pronta a ajudar.

Rafa sorriu feliz e fez o gesto que dizia o seu nome, pois todo mundo que não fala tem um gesto que o representa. O dele era segurar o seu cabelo ruivo.

Iara entendeu, sorriu e segurou no cabelão azul:

— Prazer. Eu sou a Iara. Quer sentar aqui comigo para admirar o rio?

E os dois se sentaram juntos na pedra. Amigos.

Guta ainda tentava encontrar o amigo, o Espírito da Floresta, mas ficou paralisada quando viu a grande cobra de fogo deslizando pela mata. Era o Boitatá.

O corpo da criatura cintilava em labaredas. Por onde passava, as folhas e cascas de árvores queimavam e estalavam. Guta pensou em se esconder, mas não conseguia sair do lugar, fascinada.

O Boitatá olhou para Guta, seus olhos faiscaram fogo, e ele começou a vir na direção dela, que tremia. Ele serpenteava lentamente. Chegou bem perto e levantou a cabeça mais alto do que a menina.

— Prepare-se para conhecer o Boitatá!

Guta, num impulso, abraçou a cobra de fogo.

— Você é lindo!

— Eu sou o quê? Lindo?... Ninguém nunca me falou uma coisa dessas.

E dos olhos de fogo do Boitatá pulou uma lágrima que caiu bem na mão de Guta.

— Todo mundo me acha estranho!

— Sei bem como é! Já falaram isso de mim também. Nem ligo. Sua lágrima brilha no escuro e é quentinha.

— Menina bonita, quem pega a minha lágrima tem poder sobre mim. Agora eu farei o que você quiser. Pode mandar.

— Eu não quero poder, não. Eu quero é ser sua amiga. Você quer? Prazer, Boitatá, eu sou a Guta.

— Gostei de você, Guta. Quando precisar do poder do fogo, é só me chamar. Quer dar um passeio nas minhas costas?

— Quero muito!

E lá se foram os dois passeando pela Floresta dos Mistérios.

O Rafa, a Guta e o Duda se encontraram perto da Grande Árvore. Os três queriam muito falar do que tinham visto, dos amigos que haviam feito, e tagarelavam sem parar.

Parabéns, crianças queridas, passaram no teste, assim é a vida!

Era o ser feito de folhas e flores aparecendo de novo. As crianças tiveram um pouco de medo, mas nem deu tempo de fugir; ele se aproximou dançando e deu máscaras a elas.

Todos se preparem para ver com sutileza o ciclo da vida e da beleza

As crianças puseram as máscaras, e os olhos viram a grande magia!

— Quando você vê uma árvore, na floresta ou na cidade, acha que ela está sozinha. Engano seu. Na natureza tudo faz parte de um grande ciclo. A raiz da árvore, conectada ao solo, tem a companhia da água, da terra, das minhocas. Pelo tronco, passeiam formigas buscando alimentos. Esquilos fazem casas. Nos galhos, pássaros fazem seus ninhos. Se um cocô de passarinho cai na terra, vira alimento. Aqui nada se perde. Lá vêm as abelhas para polinizar. Sem elas não teríamos árvores. E as folhas dão sombras e ajudam a deixar tudo fresquinho. As flores embelezam e são alimentos para os insetos. E os frutos? Hummm... Peguem, crianças!

As crianças ganharam frutas e começaram a comer.

— Não deixem o ciclo parar. Joguem as sementes na terra. Todos somos filhos da natureza e fazemos parte do grande ciclo da vida — hoje nos alimentando, um dia seremos nós o alimento. Tudo colabora, o visível e o invisível. Temos o vento, a chuva, o sol e a noite.

O ciclo nunca para em toda a natureza e quem não enxerga perde a nobreza.

As crianças ficaram encantadas!
De repente, todos se esconderam.

A prefeita Marta Lúcia tinha voltado. Só ela e o saca-trapo Romildo.

— Chegou o dia. Vamos limpar tudo e trazer a tecnologia para a nossa cidade!

As crianças decidiram, então, enfrentar a prefeita.

— Prefeita, a senhora não pode destruir a Floresta dos Mistérios. Aqui é a casa de muitos seres.

— Querida Guta, eu posso o que eu quiser. Eu sou a prefeita. Além do mais, vocês não amam os seus celulares? Teremos a maior e mais gigantesca fábrica bem aqui.

— Isso não tá certo. Onde vão morar os bichos? As árvores? Os pássaros? Os peixes...? — argumentou Duda.

— Ai, que dramáticos vocês são. Desde quando bichos precisam de casas?

Rafa cutucou a prefeita e entregou a sua máscara para ela.

— O que é isso? Para eu colocar?

Guta deu a sua para o pai, o Romildo.

— Vistam e olhem para a mata.

A prefeita e o ajudante Romildo olharam, e tudo estava retorcido, torto, estranho. Amedrontador!

— O bicho-homem diz que pensa, mas destrói a própria casa! O mundo é de todo muuundo! — era o que diziam as vozes da mata.

A prefeita, assustada, tirou a máscara.

— Que magia é essa? Eu não tenho tempo para brincadeiras.
— Não vamos deixar vocês destruírem a floresta! — Duda enfrentou.
— Não me amolem! Romildo, prenda essas crianças.
— Prender as crianças? Mas são crianças!
— Exatamente por isso. Precisamos protegê-las dos tratores e do fogo. Prenda!
— Não, pai. Não faça isso com a gente! — Guta segurou na blusa do pai.
— É para proteger vocês, minha filha.
ZAZ!... Romildo pôs as crianças numa grande gaiola.
— Desculpem. — E foi atrás da prefeita. — Espere por mim, querida e perfeita Marta Lúcia!

— Socorro! Alguém ajude! — as crianças gritaram. Foi então que Romildo apareceu de novo.

— Oi. Vim soltar vocês.

— Saia daqui, Romildo. Você quer destruir a floresta!

— Shhhhh, Duda... Eu não sou o Romildo! — Soltou uma risada e abriu o casaco mostrando a pele de folhas e flores.

— Meu amigo, Espírito da Floresta! — Guta sorriu feliz.

— Fujam, rápido! Vão para lá. Eu cuido do seu pai.

As crianças correram. Romildo voltou e deu de cara com o outro.

— Quem é você?

— Ué, eu sou você e soltei as crianças! Tchauzinho!

— Espere, eu! Mas ele sou eu? E eu soltei as crianças? A minha amada prefeita vai ficar muito brava comigo!

Ai, que confusão!!!

As crianças chegaram no meio da mata bem na hora da assembleia dos moradores da floresta.

— Vamos atacar e matar esses homens — sugeriram as Onças. E os Lobos gostaram.

— Não. Não podemos ser maldosos iguais a eles. Vamos voar para longe — foi a proposta dos Tucanos.

— Eu e minhas irmãs não podemos fugir. Estamos presas à terra! — proferiu uma das Velhas Árvores.

— O que faremos então? — perguntaram as Formigas.

— Vamos ficar todos juntos e lutar. Eu tenho um plano — Guta falou com firmeza. E todos se uniram para ouvir.

— Bem-que-eu-vi perigo chegando!

— Preparem-se! Chegou a hora — avisou o Espírito da Floresta.

Os tratores chegaram na entrada da mata.

— As crianças estão lá no meio. Não podemos avançar — avisou Romildo.

— Eu não mandei prender essas crianças chatas? Quem soltou?

— Eu... Só que não. Mas fui. Ah, nem sei...

— Avancem assim mesmo.

— Não, prefeita Marta Lúcia. São crianças. É minha filha! Você não pode.

— Cale a sua boca, Romildo. Eu vou avançar, sim. Venha para cá.

— Marta Lúcia, tudo tem limite!

Romildo se afastou e foi para junto da filha e das crianças.

— Romildo, você é um fraco. E escolheu. Podem avançar. Coloquem fogo em tudo! — ordenou a maluca da prefeita.

O fogo começou a queimar e a avançar pela mata.

— Guta, hora do plano! Rápido — pediu o Espírito da Floresta.

Guta bradou de braços abertos.

— Boitatá, o poder do fogo!

Lá veio ele, serpenteando, enorme, a grande cobra incandescente.

— Preparem-se, humanos, para a força da natureza!

Rodou em espiral e o fogo começou a dançar para fora da mata na direção dos tratores.

— O fogo vem vindo na nossa direção!

O que tá acontecendo? — gritavam os auxiliares de Marta Lúcia.

— Aumentem as chamas! Avancem! Não tenham medo — a prefeita ria e ordenava.

— O Boitatá precisa de ajuda. Sua vez, Duda!

— Beleza, Espírito da Floresta! Saci Pererê, eu invoco o poder do vento! — e assoviou forte.

Veio o redemoinho do Saci a toda velocidade. E... PLUM! O Saci apareceu.

— Ah, moleque, eu trouxe a ventania! Vamos trabalhar juntos, Boitatá.

O Saci balançou a carapuça e o vento soprou muito forte, chacoalhando as árvores e os cabelos, levantando as folhas do chão; o fogo, que já estava bem maior, começou a serpentear para fora da mata, para cima da prefeita e dos tratores.

— Socorro! — um homem gritou. — Eu acho que vi uma cobra de fogo!

— Não se acovardem. É hora da batalha! Joguem o fogo com o lança-chamas a toda força! — ordenou a prefeita.

O enorme jato de fogo foi lançado para cima da Grande Árvore, bem onde estavam as crianças e Romildo.

— Pare, prefeita... Nós estamos aqui. Vamos morrer no fogo! — pediu Romildo.

Ela ria, sem piedade.

— Rafa, sua vez! — pediu o Espírito da Floresta.

Rafa bateu palmas. As águas do riacho começaram a remexer, formar ondas, aumentar e, quando se viu, lá vinha uma tremenda tromba-d'água, invadindo toda a floresta. Sobre as águas, soberana, flutuando, estava a sereia Iara.

— Subam na Grande Árvore, rápido! — mandou o Espírito da Floresta.

— Ela está pegando fogo! — alertou Romildo, assustado.

— Confie, pai, suba logo! Venha!

Os humanos subiram, os bichos correram para lugares altos e a água invadiu rápida, forte, furiosa, cobrindo tudo. Os tratores capotavam, os homens gritavam de medo e fugiam como podiam, a prefeita era levada no aguaçal.

— Ahhhh!!!

A água apagou todo o fogo, lavou e levou tudo o que precisava ser levado. Então, Iara recolheu-se de novo para o leito do seu rio, levando as águas consigo. O Boitatá levou o fogo e o Saci, o vento.

As crianças se abraçaram, os bichos da terra, do ar, de baixo da terra e das águas comemoraram. A alegria era geral!

— Vencemos! Vencemos!

O sol raiou por entre as árvores!

— Bem-que-eu-vi perigo...

Ouviu-se então um barulho de motor ligado. Era a prefeita, toda molhada, em cima de um dos tratores.

— Vocês nunca vão me vencer! Eu posso tudo o que quiser. Eu sou a prefeita. E vou acabar com essa floresta! Agora!

Lá veio ela dirigindo, mirando a Grande Árvore.

— Pulem! Corram! Fujam!

Todos saíam da frente como podiam. O Espírito da Floresta se pôs à frente da Grande Árvore. Não adiantou! A prefeita bateu com tudo na árvore mais antiga da Floresta dos Mistérios.

A Grande Árvore gemeu de dor e um dos seus grandes galhos começou a se quebrar.

— Ele vai cair sobre a prefeita!

Dito e feito. O galho despencou bem em cima do trator e da prefeita Marta Lúcia.

O silêncio foi geral.

As crianças correram para ver como estava o Espírito da Floresta. Ele saiu lá de baixo são e salvo. Comemoraram.

Ele mesmo foi, devagar, até o trator. A prefeita não tinha mais vida.

— Que pena! Ela perdeu a chance de aprender!

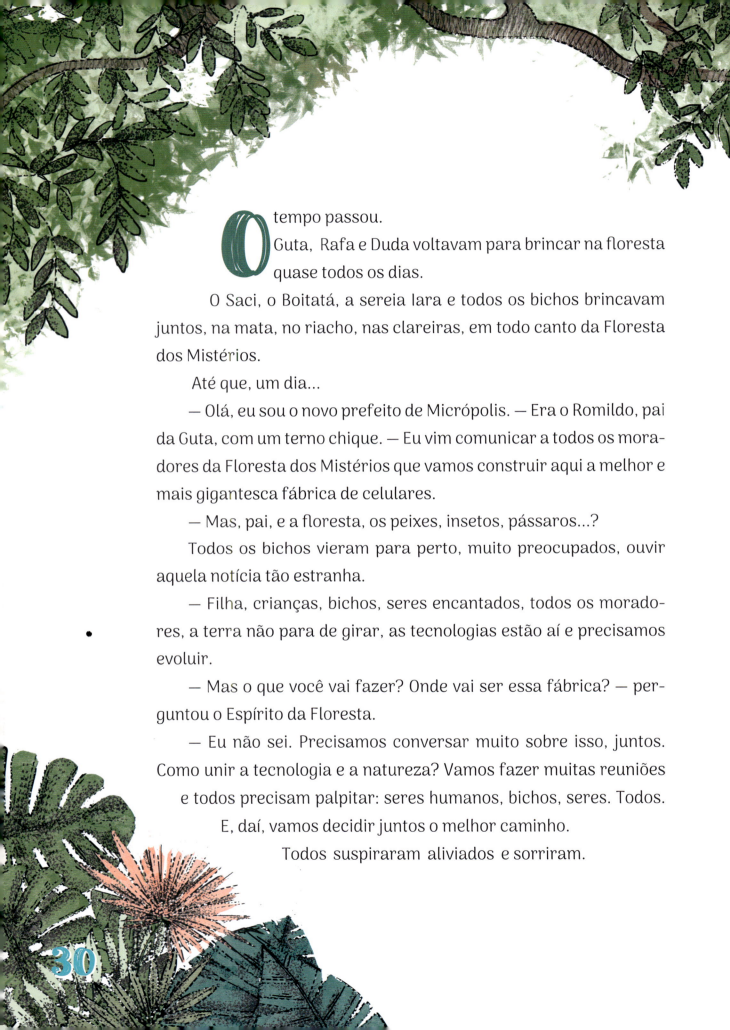

O tempo passou.

Guta, Rafa e Duda voltavam para brincar na floresta quase todos os dias.

O Saci, o Boitatá, a sereia Iara e todos os bichos brincavam juntos, na mata, no riacho, nas clareiras, em todo canto da Floresta dos Mistérios.

Até que, um dia...

— Olá, eu sou o novo prefeito de Micrópolis. — Era o Romildo, pai da Guta, com um terno chique. — Eu vim comunicar a todos os moradores da Floresta dos Mistérios que vamos construir aqui a melhor e mais gigantesca fábrica de celulares.

— Mas, pai, e a floresta, os peixes, insetos, pássaros...?

Todos os bichos vieram para perto, muito preocupados, ouvir aquela notícia tão estranha.

— Filha, crianças, bichos, seres encantados, todos os moradores, a terra não para de girar, as tecnologias estão aí e precisamos evoluir.

— Mas o que você vai fazer? Onde vai ser essa fábrica? — perguntou o Espírito da Floresta.

— Eu não sei. Precisamos conversar muito sobre isso, juntos. Como unir a tecnologia e a natureza? Vamos fazer muitas reuniões e todos precisam palpitar: seres humanos, bichos, seres. Todos.

E, daí, vamos decidir juntos o melhor caminho.

Todos suspiraram aliviados e sorriram.

Como ficou a maior e mais gigantesca fábrica de celulares? Ela ainda não foi construída. Eu só sei que estou por aqui, protegido e protegendo a todos da Floresta dos Mistérios enquanto eu puder. Quem quiser venha nos visitar. Adoramos contar e ouvir histórias, dar sombras, frutas e flores de presente. Você pode se banhar no nosso riacho, fazer um piquenique, brincar, dançar, ou somente se deitar na grama para ouvir a mata. É muito bonito o som da orquestra da natureza. Venha. Se vier com respeito e amor, sempre será bem-vindo. Afinal, neste grande planeta Terra, nossa casa, todos somos um. Irmãos, filhos, moradores.

Quem sou eu? O Espírito da Floresta, que tudo vê e moro bem aqui, dentro da Grande Árvore.

A turma do Reino da Carochinha acompanhou de perto esta aventura, em agosto de 2019, e fez uma grande festa com os habitantes da Floresta dos Mistérios quando tudo acabou bem.
❤️ 😘